Para zanahodia, que se sabe el cuento sin leerlo porque estuvo adentro.

Para Marta, por compartir conmigo todos los momentos.

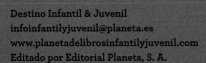

Destino Infantil & Juvenil
infoinfantilyjuvenil@planeta.es
www.planetadelibrosinfantilyjuvenil.com
Editado por Editorial Planeta, S. A.

© del texto: Nahir Gutiérrez, 2010
© de las ilustraciones: Álex Omist, 2010

© Editorial Planeta, S. A., 2010
Avda. Diagonal, 662-664, 08034 Barcelona
Primera edición: enero de 2011
ISBN: 978-84-08-09854-6
Depósito legal: B. 43.685-2010
Impreso por Egedsa
Impreso en España – Printed in Spain

El XXX Premio Destino Infantil – Apel·les Mestres fue otorgado por el siguiente jurado:
Carmen Bieger, Marta Bueno, Jesús Gabán, Care Santos y Fernando Valverde.

Nahir Gutiérrez
Álex Omist

¿Dónde está güelita Queta?

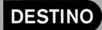

¿Dónde está güelita Queta,
que no viene a vernos?

El cielo está demasiado lejos.

¿Cómo hará para venir,
si ni viajando en avión hemos podido verla?
¿Y cuál es su estrella?

Se quedó sin estrenar su pamela nueva.

El banco de su paseo también la echa de menos.

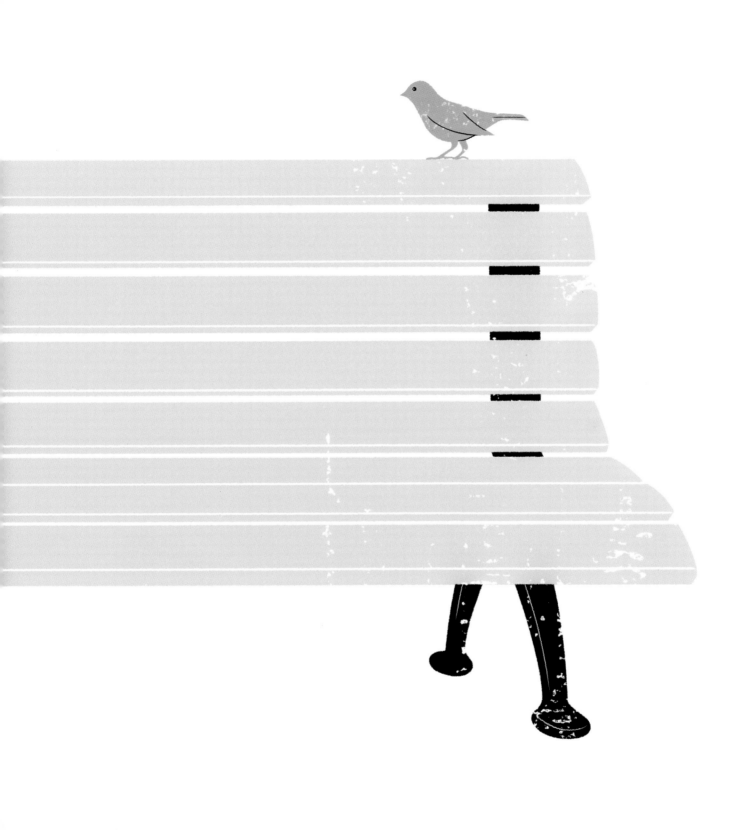

Su cómoda sigue
guardando bombones...

y pañuelos bordados.

No sabemos buscar

un restaurante

sin preguntarnos

si tendrá escaleras.

No sabemos
irnos de viaje...

y no traerle
un regalo.

Mamá dice que güelita inventó los caramelos.

Asomada a nuestra cuna cantaba:

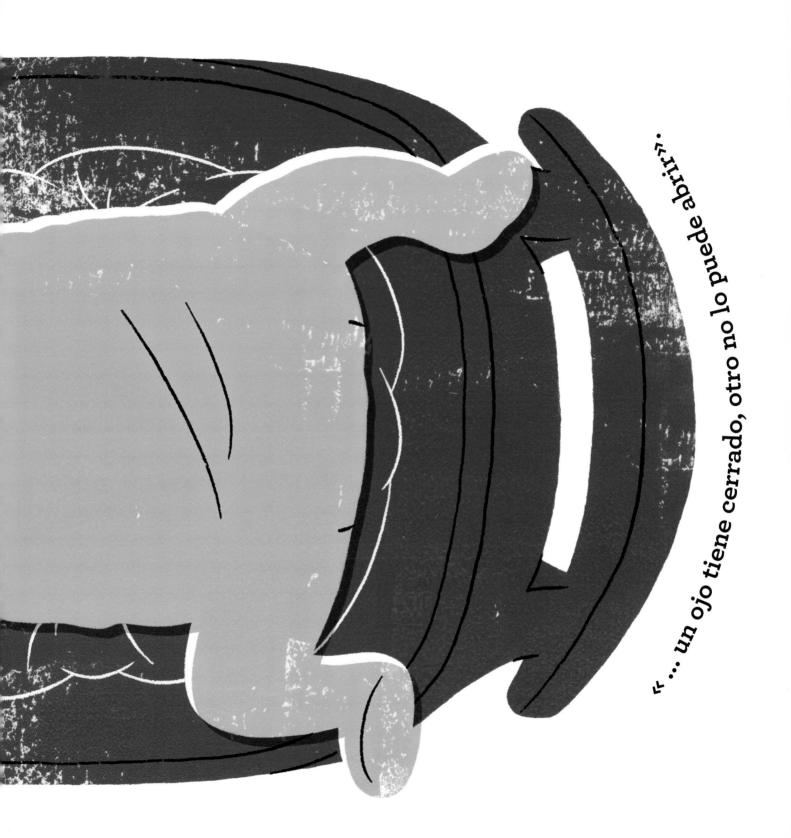

«... un ojo tiene cerrado, otro no lo puede abrir».

Limpiaba los zapatos ¡también por debajo!

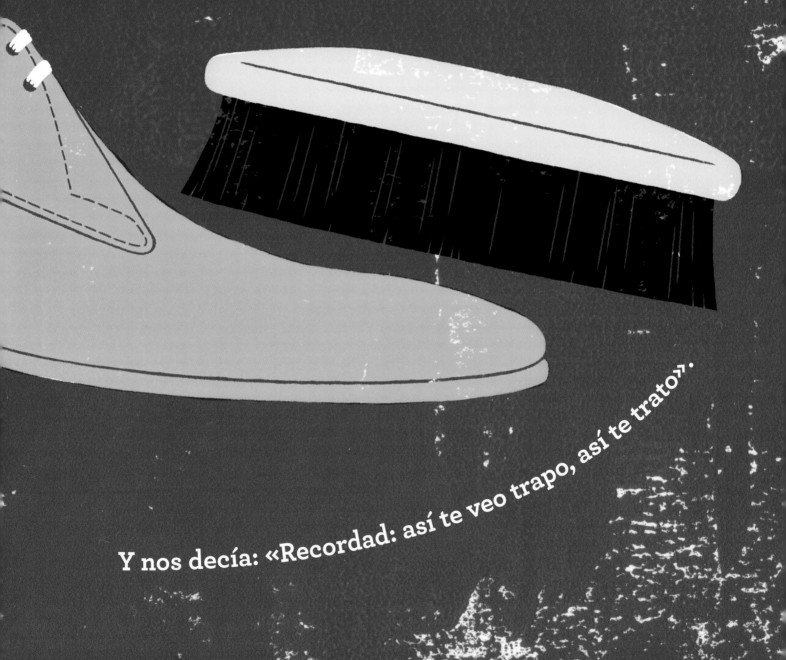

Y nos decía: «Recordad: así te veo trapo, así te trato».

Nadie enrollaba

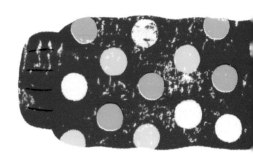

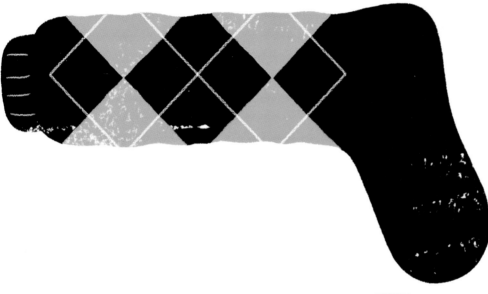

como ella

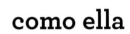

los calcetines.

Güelita Queta contaba siempre la historia del tío Urbano.

Tenía las uñas tan largas que no podían cortárselas.

A ella le daba miedo cuando era niña.

A nosotros también.

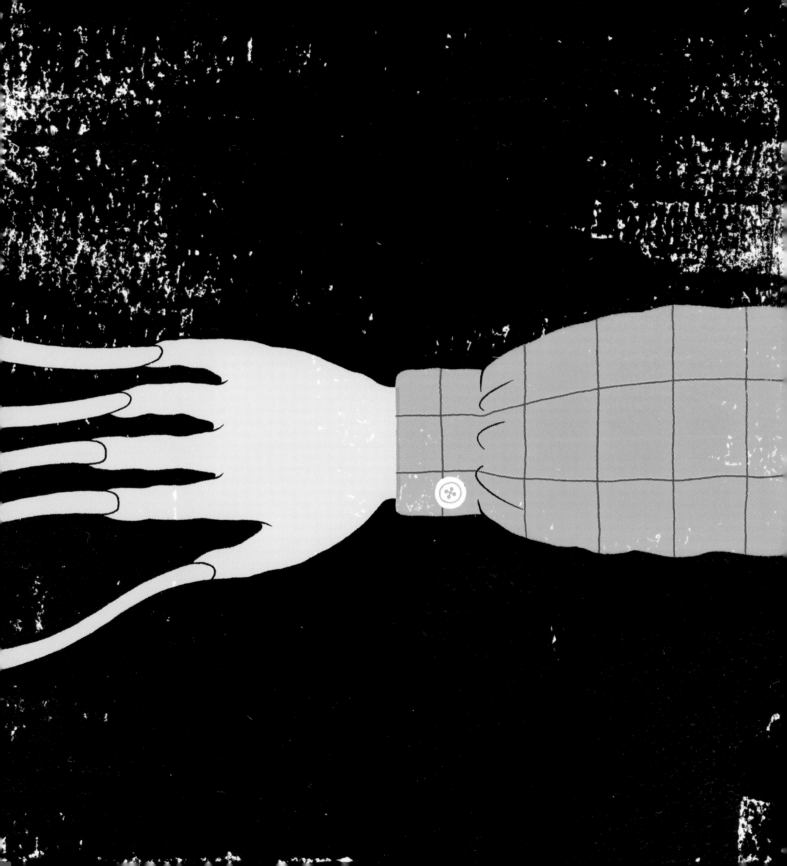

Aa

Bb

Güelita

no fue

a la escuela

y aprendió

a leer

ella sola.

Leía

despacio,

moviendo

los labios.

Cuando ella era pequeña no había televisión,

ni mando a distancia para el párking,

ni lavadora,

y güelita lavaba en el río,

en el agua fría, fría.

Mamá dice que güelita sí está.

Está cuando hacemos chocolate para cenar

y cuando nos dan las notas.

A

$$\begin{array}{cc} 4 & 5 \\ +3 & +1 \\ \hline =7 & =6 \end{array}$$

Está cuando llegan

los regalos de Navidad

y en la función del cole.

Siempre que pensamos en ella, güelita Queta está.